奧斯卡・柏尼菲（Oscar Brenifier）／文

為了推廣成人和兒童哲學的思考訓練課程，奧斯卡除了出版「以討論來教學」的工具書，還在世界各地成立哲學工作室，希望透過對話與討論，讓孩子更有創造力與探索精神。他和法國南特爾市（Nanterre）小學共同合作的思考紀錄，完全收錄在【哲學，思考，遊戲】，希望大人和小孩能透過閱讀體驗思考的樂趣。

賈克・德普瑞（Jacques Després）／圖

德普瑞受過專業美術訓練，1990年代投入動畫製作，作品橫跨紀錄片、電玩、建築和裝置藝術。

D'après la série "C'est quoi l'idée", réalisée par Tanguy de Kermel,
© 2014 Planet Nemo Animation / Skyline Entertainment / Motion Magic /
La Planète Rouge / Señalcolombia / Educar / Xilam Animation,
librement adaptée de l'oeuvre originale Le livre des grands contraires philosophiques, écrit par Oscar Brenifier et illustré par Jacques Després, publié aux Éditions Nathan, et d'images tirées de la collection Philozidées, par les mêmesauteurs et chez le même éditeur.

Script original d'Alan Gibey pour le titre Pourquoi je suis jaloux?

Édition originale: POURQUOI JE SUIS JALOUX?

會思考的小公民 QP004
我為什麼會嫉妒? Pourquoi je suis jaloux?

文／奧斯卡．柏尼菲　圖／賈克．德普瑞　翻譯／吳家恆
主編／吳家恆　編輯／黃嬿羽　美術編輯／陳芯怡
發行人／王榮文
出版發行／遠流出版事業股份有限公司
地址：臺北市南昌路二段81號6樓
電話：（02）2392-6899
傳真：（02）2392-6658
郵撥：0189456-1
著作權顧問／蕭雄淋律師

2015年2月16日　初版一刷
2015年12月15日　初版二刷
2016年11月1日　初版三刷
定價新台幣250元（缺頁或破損的書，請寄回更換）

ISBN 978-957-32-7589-3（全套：精裝）
ISBN 978-957-32-7588-6

遠流博識網
http://www.ylib.com
E-mail: ylib@yuanliou.ylib.com.tw

C'EST QUOI L'IDÉE?

我為什麼會嫉妒？

這⟨ㄓㄜˋ⟩一⟨ㄧ⟩天⟨ㄊㄧㄢ⟩，　雨⟨ㄩˇ⟩果⟨ㄍㄨㄛˇ⟩跑⟨ㄆㄠˇ⟩去⟨ㄑㄩˋ⟩找⟨ㄓㄠˇ⟩朋⟨ㄆㄥˊ⟩友⟨ㄧㄡˇ⟩們⟨ㄇㄣˊ⟩玩⟨ㄨㄢˊ⟩溜⟨ㄌㄧㄡ⟩溜⟨ㄌㄧㄡ⟩球⟨ㄑㄧㄡˊ⟩。　但⟨ㄉㄢˋ⟩是⟨ㄕˋ⟩，　山⟨ㄕㄢ⟩姆⟨ㄇㄨˇ⟩跟⟨ㄍㄣ⟩小⟨ㄒㄧㄠˇ⟩舞⟨ㄨˇ⟩者⟨ㄓㄜˇ⟩玩⟨ㄨㄢˊ⟩得⟨ㄉㄜˊ⟩太⟨ㄊㄞˋ⟩專⟨ㄓㄨㄢ⟩心⟨ㄒㄧㄣ⟩，　完⟨ㄨㄢˊ⟩全⟨ㄑㄩㄢˊ⟩都⟨ㄉㄡ⟩沒⟨ㄇㄟˊ⟩注⟨ㄓㄨˋ⟩意⟨ㄧˋ⟩到⟨ㄉㄠˋ⟩雨⟨ㄩˇ⟩果⟨ㄍㄨㄛˇ⟩！

雨果覺得既生氣又難過。
這種感覺好奇怪哦！ 這難道是嫉妒嗎？

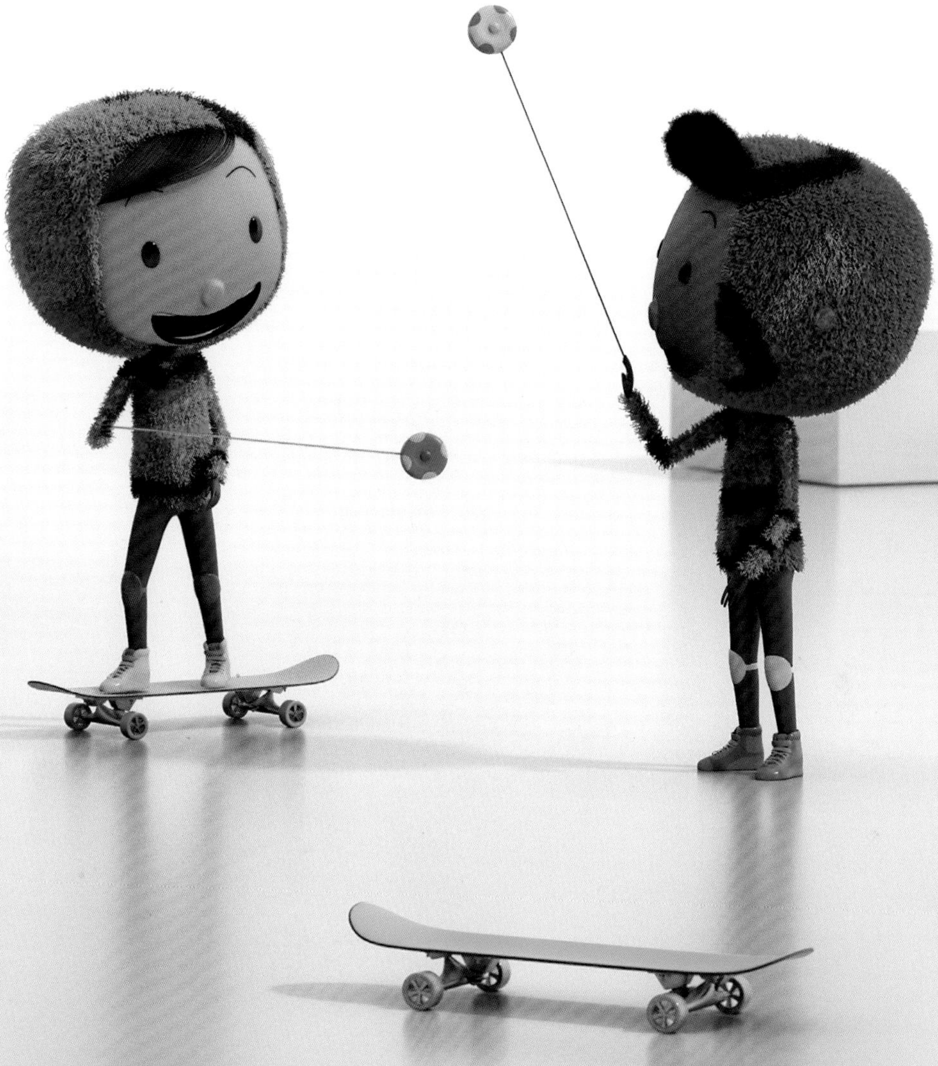

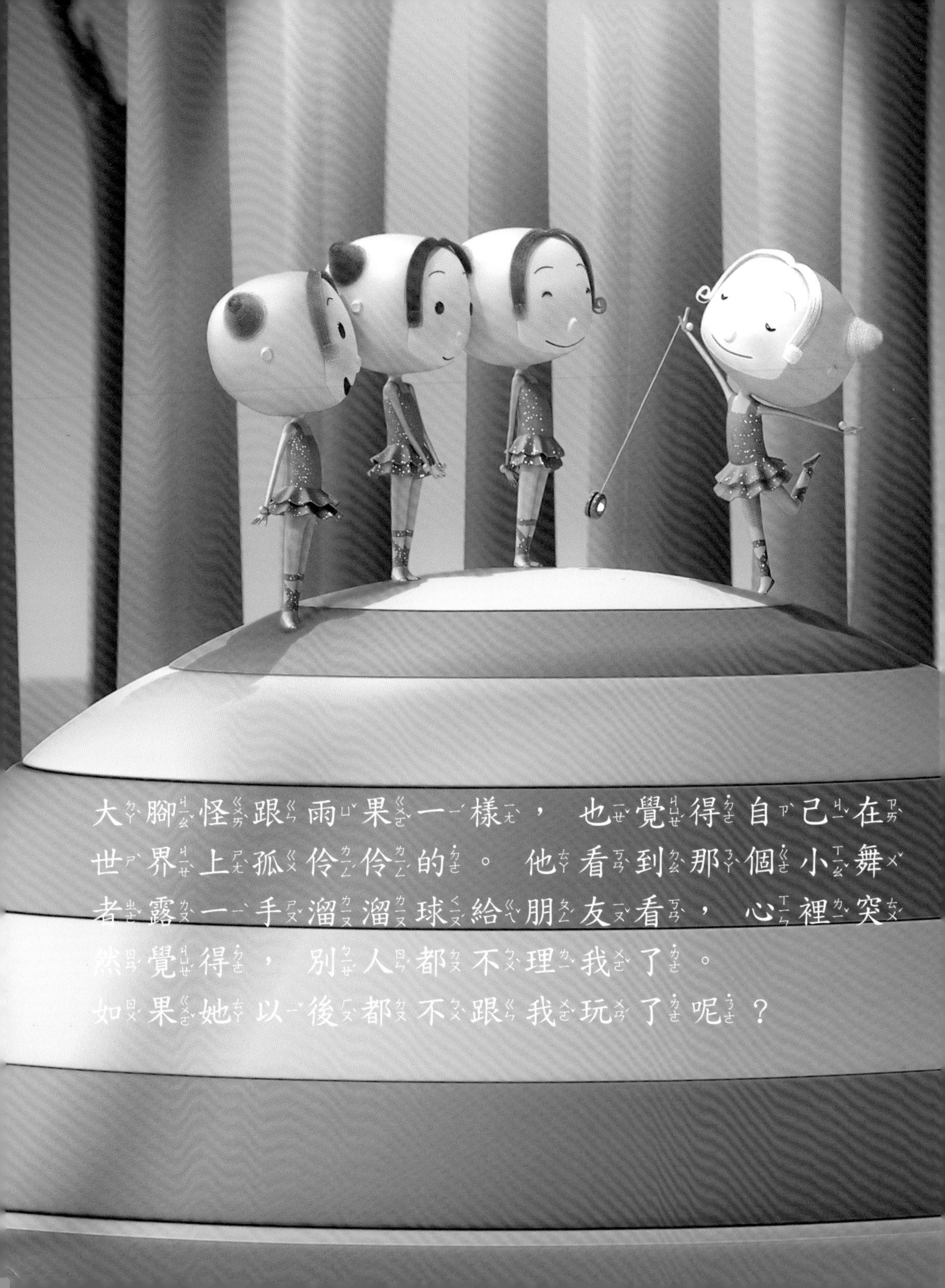

大腳怪跟雨果一樣，也覺得自己在世界上孤伶伶的。他看到那個小舞者露一手溜溜球給朋友看，心裡突然覺得，別人都不理我了。

如果她以後都不跟我玩了呢？

雨果原本覺得不安，現在已經變成生氣了。

——他們以為有笨溜溜球就很了不起哦？

我只要朋友跟我一起玩！

嫉妒的心情真的讓雨果很不開心……

路卡也很吃醋。

他覺得媽媽的心裡只有妹妹。

——不是這樣的，他想。
媽媽還是一樣愛我，
是嫉妒讓我不開心。

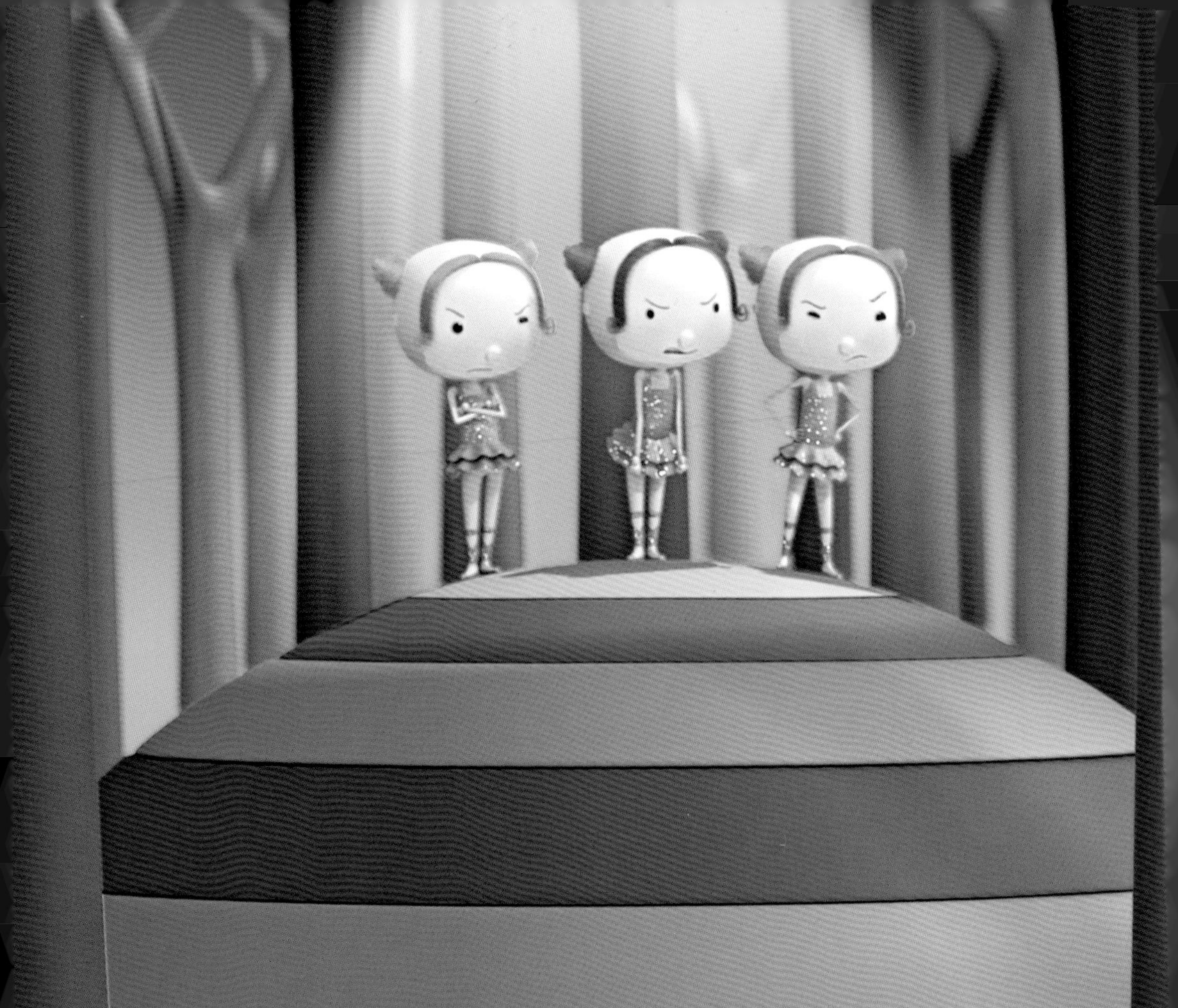

大腳怪想出一招來讓小舞者注意到他：那就是請她教他玩溜溜球這個新把戲！

這下子換那些女生覺得嫉妒了。

——這都是因為大腳怪有溜溜球，而我們沒有！其中一個女生大叫。

這真是不公平！另一個女生大叫。

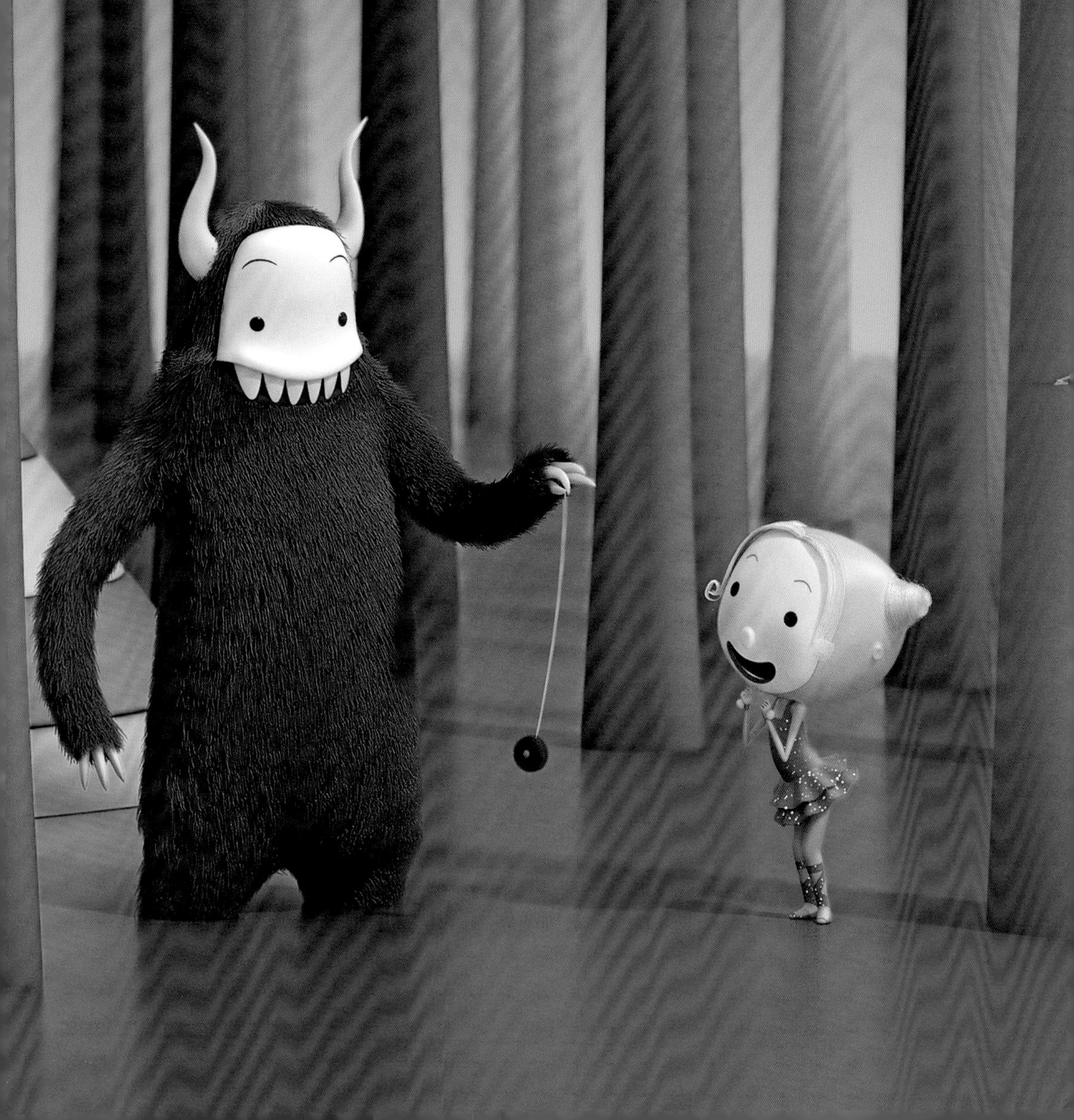

雨果還在生悶氣。
——哼，我的朋友想跟誰玩，就跟誰玩！我一點也沒生氣，我一點也不難過！

真的嗎？但是我們覺得他還是在生氣啊……。
可以確定的是，嫉妒的時候，心裡很不好受！那我們要怎麼擺脫嫉妒呢？

在不遠的地方，雲霄飛車亮了起來。
孩子們，來吧，來吧，趕快爬上來吧！忠心先生說。

大腳怪和小舞者跳上第一台車，
開始繞圈圈，繞個不停……。

他們後面跟著三個心裡充滿嫉妒的小女生，小女生開始追他們。

既然她已經不喜歡我們，我們就追上她。

衝啊！

接下來換雨果了。

小朋友，你也想一起玩嗎？

忠心先生輕聲問道。

雨果還在想：他很想玩，但是又有點猶豫。

——他想，為了不要再生氣，或許我還是不要去玩賽車比較好？

軌道不見了，所有的小朋友都下車了。

讓人驚訝的是，他們看到彼此都很高興！

飛車追逐好好玩。

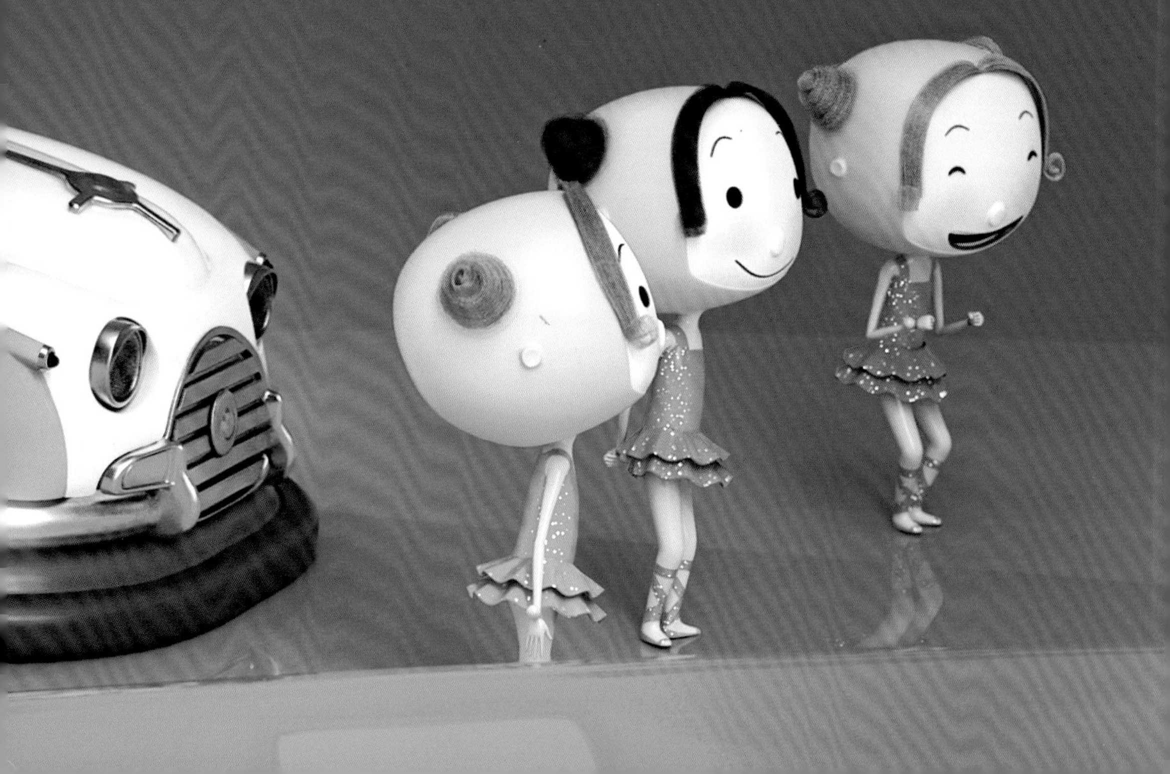

我ㄨㄛˇ想ㄒㄧㄤˇ念ㄋㄧㄢˋ你ㄋㄧˇ們ㄇㄣ˙！ 小ㄒㄧㄠˇ舞ㄨˇ者ㄓㄜˇ說ㄕㄨㄛ。 我ㄨㄛˇ
們ㄇㄣ˙一ㄧ起ㄑㄧˇ玩ㄨㄢˊ更ㄍㄥˋ有ㄧㄡˇ趣ㄑㄩˋ， 不ㄅㄨˊ是ㄕˋ嗎ㄇㄚ˙？
大ㄉㄚˋ腳ㄐㄧㄠˇ怪ㄍㄨㄞˋ高ㄍㄠ興ㄒㄧㄥ得ㄉㄜ˙蹦ㄅㄥ蹦ㄅㄥ跳ㄊㄧㄠˋ！

嘿ㄟ，山ㄕㄢ姆ㄇㄨ！
嗨ㄏㄞ，雨ㄩ果ㄍㄨㄛ，看ㄎㄢ看ㄎㄢ我ㄨㄛ把ㄅㄚ溜ㄌㄧㄡ溜ㄌㄧㄡ球ㄑㄧㄡ
弄ㄋㄥ成ㄔㄥ這ㄓㄜ樣ㄧㄤ！要ㄧㄠ我ㄨㄛ教ㄐㄧㄠ你ㄋㄧ玩ㄨㄢ嗎ㄇㄚ？

哦，好啊！

——雨果終於找回他的朋友，心裡好高興。

雨果明白了一些事：要擺脫嫉妒，最好的辦法就是再找一個東西跟朋友一起分享。

學會玩溜溜球，真是太棒了！雨果露出笑容。

那你呢，你會怎麼想？

吳家恆／翻譯

自學涉獵法文、德文、西班牙文、義大利文與拉丁文，曾在法國流浪一個月。